KV-748-294

图书在版编目（CIP）数据

蝉：用生命歌唱的音乐家 / 齐遇编绘 .—武汉：长江出版社，2016.4
（法布尔昆虫记绘本）
ISBN 978-7-5492-4196-5

Ⅰ.①蝉… Ⅱ.①齐… Ⅲ.①儿童文学—图画故事—中国—当代 Ⅳ.① I287.8

中国版本图书馆 CIP 数据核字（2016）第 089301 号

chán yòngshēngmìng gē chàng de yīn yuè jiā

蝉：用生命歌唱的音乐家

蝉：用生命歌唱的音乐家 齐遇/编绘

责任编辑：高 伟
装帧设计：新奇遇文化
出版发行：长江出版社
地 址：武汉市解放大道1863号 邮 编：430010
网 址：http://www.cjpress.com.cn
电 话：（027）82926557（总编室）
（027）82926806（市场营销部）
经 销：各地新华书店
印 刷：湖北嘉仑文化发展有限公司
规 格：710mm×960mm 1/16 4印张
版 次：2016年4月第1版 2022年4月第8次印刷
ISBN 978-7-5492-4196-5
定 价：15.80元

法布尔昆虫记 绘本

蝉——用生命歌唱的音乐家

齐遇 / 编绘

我们的世界是如此美好！

昆虫，仿佛我们这个世界的精灵，在树林间，在草丛里，或振翅飞舞，或浅吟低唱……它们的生命大多短暂，但它们的故事却很精彩。

孩子们是多么喜爱昆虫啊！他们追逐着夏夜的萤火虫，跟着可爱的蜻蜓奔跑；他们观察圣甲虫团粪球，倾听蝉的欢唱。

真的要感谢法布尔先生。这位伟大的昆虫学家，用细致入微的观察，用细腻恬淡的文笔，将神秘的昆虫世界呈现在我们面前。他是那么热爱那些小精灵，与其说他是在研究昆虫，倒不如说他倾尽所有的爱，呵护着那些小生命。厚厚一部《昆虫记》是法布尔先生留给我们的最宝贵的遗产，这就是爱——爱生活，爱自然，爱生命。

《昆虫记》是一部百年经典，多少年来深受中国读者喜爱。据了解，目前国内图书市场上各种版本的《昆虫记》不下百种，我们这套注音版《法布尔昆虫记绘本》，从严格意义上来说，是一部昆虫童话。每一个故事，都力求生动有趣；每一幅画面，都力求栩栩如生。

我们在创作这些昆虫童话时，牢牢根植于原版《昆虫记》，将各种昆虫的特点、习性完美地融入故事中，读起来既有趣味，又能在不知不觉中了解很多昆虫知识。因此，这套《法布尔昆虫记绘本》可以说是科普和文学完美结合的佳作。

那么，就让我们一起走近法布尔先生，走近我们的昆虫朋友吧！

蝉

用生命歌唱的音乐家

四年在地下艰苦劳作，一个月在阳光下欢乐，
这就是蝉的生命。
不要再责备成年的蝉狂热地高唱凯歌了吧！

——法布尔

suī rán yǐ jīng dào le qiū tiān tài yáng réng rán dú
虽然已经到了秋天，太阳仍然毒
là là de zhì kǎo zhe dà dì hé biān yí piàn mào mì de
辣辣地炙烤着大地。河边一片茂密的
yáng liǔ lín li bù shí chuán lái gāo kàng de zhī liǎo zhī
杨柳林里不时传来高亢的，“知了知
liǎo de míng jiào shēng
了”的鸣叫声。

liǎng zhī hú dié zài cǎo cóng jiān qiè qiè sī yǔ qiáo hēi lǎ ba nà
两只蝴蝶在草丛间窃窃私语："瞧，黑喇叭那

shǎ guā zhěng tiān jiào gè bù tíng tīng shuō má què zuì xǐ huan chī chán le
傻瓜，整天叫个不停，听说麻雀最喜欢吃蝉了，

hēi lǎ ba zhè yàng jiào huan jiù bú pà rě huò shàng shēn me xū
黑喇叭这样叫唤，就不怕惹祸上身么？""嘘，

shuō cáo cāo cáo cāo dào nǐ qiáo guǐ zhuǎ er lái le
说曹操，曹操到。你瞧，鬼爪儿来了。"

guǒ rán yì zhī má què shǎn diàn bān xiàng hēi lǎ ba zhuó qù
果然，一只麻雀闪电般向黑喇叭啄去，
yǎn kàn jiù yào dé shǒu yí chuàn yè tǐ tū rán cóng hēi lǎ ba de
眼看就要得手，一串液体突然从黑喇叭的
wěi bù shè chū má què chī le yì jīng pū leng zhe chì bǎng luò zài
尾部射出。麻雀吃了一惊，扑棱着翅膀落在
yì gēn xì zhī shang dīng zhe hēi lǎ ba zhè shì yì zhī xióng chán
一根细枝上，盯着黑喇叭，这是一只雄蝉，
cǐ shí bú zài gē chàng sì hū yě bù dǎ suàn táo zǒu
此时不再歌唱，似乎也不打算逃走。

hēi hēi tā kěn dìng shì shòu shāng le má què chī
“嘿嘿，它肯定是受伤了。”麻雀吃
xià le yì kē dìng xīn wán zhè zhī má què yǒu gè xiǎng liàng de
下了一颗定心丸。这只麻雀有个响亮的
chuò hào jiào guǐ zhuǎ er shì gè bǔ liè gāo shǒu
绰号叫“鬼爪儿”，是个捕猎高手。

nà chǎo gè méi wán de jiā huo
“那吵个没完的家伙

jiù yào wán dàn le liǎng zhī hú dié
就要完蛋了！”两只蝴蝶

yǎn qiáo zhe zhè biān de qíng xíng jīn bú
眼瞧着这边的情形，禁不

zhù xìng zāi lè huò qǐ lái tā men shōu
住幸灾乐祸起来，它们收

le chì bǎng qī zài yì gēn cǎo jīng shang
了翅膀，栖在一根草茎上，

dāng qǐ le guānzhòng
当起了观众。

guǐ zhuǎ er yōu yǎ de nuó le nuó jiǎo wèn
鬼爪儿优雅地挪了挪脚，问
dào nǐ gāng cái běn lái yǒu jī huì táo diào
道："你刚才本来有机会逃掉
de wèi shén me bù táo ne chì bǎng shòu shāng
的，为什么不逃呢，翅膀受伤
le ba hēi lǎ ba méi yǒu zuò shēng zhǐ shì
了吧？"黑喇叭没有做声，只是
dāi dāi de dīng zhe tài yáng sì hū méi kàn dào guǐ
呆呆地盯着太阳，似乎没看到鬼
zhuǎ er yě méi yǒu tīng jiàn tā de wèn huà
爪儿，也没有听见它的问话。

guǐ zhuǎ er jiàn hēi lǎ ba bù dā li tā bù jīn yǒu xiē
鬼爪儿见黑喇叭不搭理它，不禁有些
nǎo huǒ bù mǎn de rǎng dào bié yǐ wéi zhuāng yǎ ba jiù
恼火，不满地嚷道：“别以为装哑巴就
néng táo guò wǒ de shǒu zhǎng xīn wǒ nà jǐ gè jī cháng lù
能逃过我的手掌心。我那几个饥肠辘
lù de hái zi kě bù guǎn nǐ shì bú shì yǎ ba ne
辘的孩子，可不管你是不是哑巴呢。”

法布尔昆虫记 绘本

蒂菲粪金龟——家园守望者

齐遇 / 编绘

长江出版社
CHANGJIANG PRESS

hēi lǎ ba shōu huí yǎn guāng dīng zhe guǐ zhuǎ
黑喇叭收回眼光，盯着鬼爪
er sī yǎ de shuō wǒ bú shì yǎ ba chì bǎng
儿，嘶哑地说："我不是哑巴，翅膀
yě méi yǒu shòu shāng wǒ bù táo zǒu yīn wèi bù guǎn
也没有受伤。我不逃走，因为不管
shì bèi nǐ sī suì le wèi hái zi hái shi sǐ hòu bèi
是被你撕碎了喂孩子，还是死后被
mǎ yǐ tuō huí yǐ cháo li qù duì yú wǒ lái shuō
蚂蚁拖回蚁巢里去，对于我来说，
méi shén me qū bié
没什么区别。"

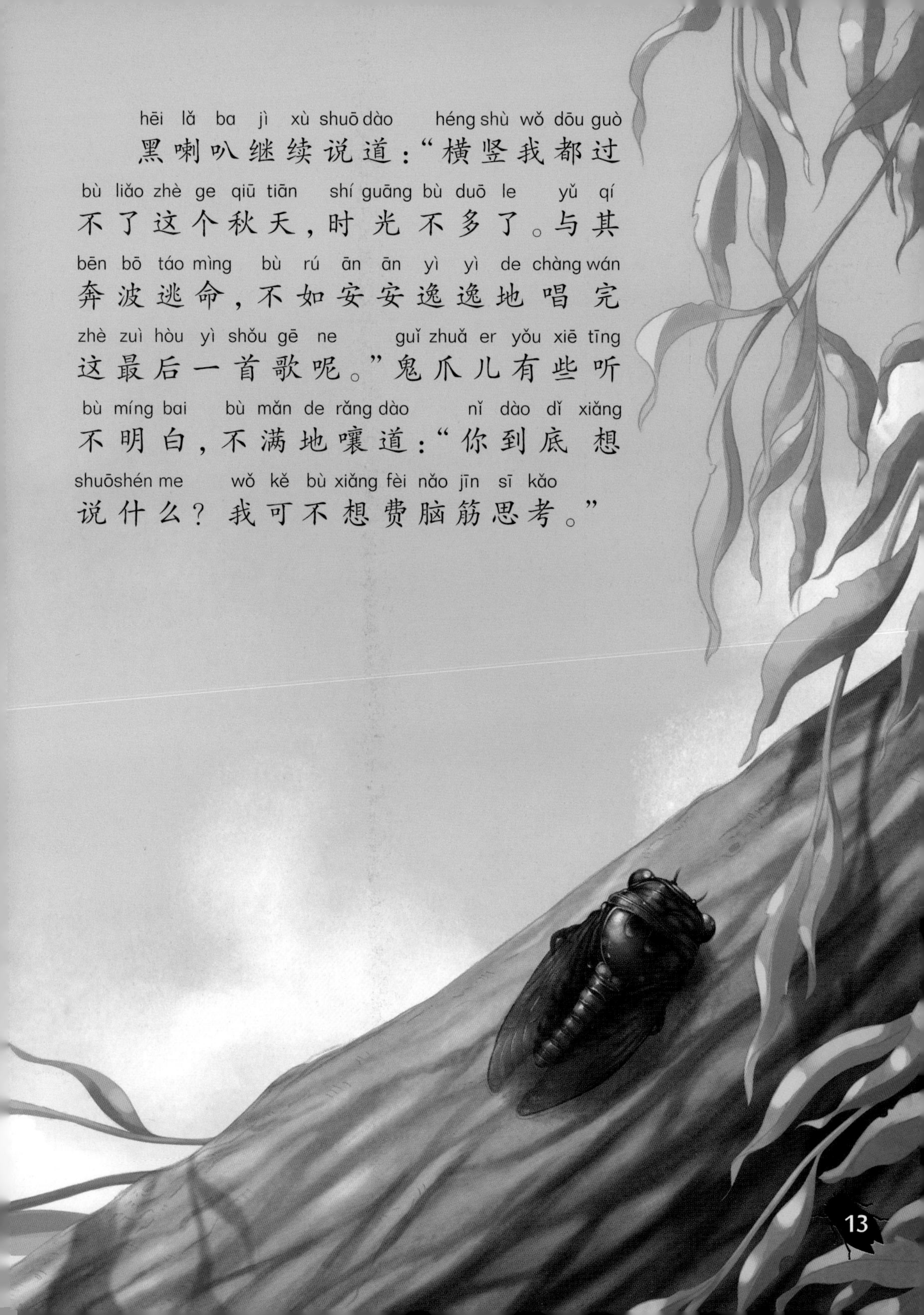

hēi lǎ ba jì xù shuō dào héng shù wǒ dōu guò
黑喇叭继续说道："横竖我都过
bù liǎo zhè ge qiū tiān shí guāng bù duō le yǔ qí
不了这个秋天，时光不多了。与其
bēn bō táo mìng bù rú ān ān yì yì de chàng wán
奔波逃命，不如安安逸逸地唱完
zhè zuì hòu yì shǒu gē ne guǐ zhuǎ er yǒu xiē tīng
这最后一首歌呢。"鬼爪儿有些听
bù míng bai bù mǎn de rǎng dào nǐ dào dǐ xiǎng
不明白，不满地嚷道："你到底想
shuō shén me wǒ kě bù xiǎng fèi nǎo jīn sī kǎo
说什么？我可不想费脑筋思考。"

hēi lǎ ba chén mò le yí huì er shuō dào yǒu yí gè yù yán
黑喇叭沉默了一会儿，说道："有一个寓言
jiā jiǎng guò yí gè gù shi dōng tiān yì zhī jī è de chán xiàng mǎ yǐ
家讲过一个故事：冬天，一只饥饿的蝉向蚂蚁
qǐ tǎo liáng shi mǎ yǐ men huí dá shuō xià tiān nǐ zài chàng gē nà
乞讨粮食，蚂蚁们回答说：'夏天你在唱歌，那
dōng tiān nǐ jiù tiào wǔ ba zhè jiǎn zhí shì zài hú biān luàn zào děng dōng
冬天你就跳舞吧。'这简直是在胡编乱造，等冬
tiān dào lái wǒ men zǎo jiù sǐ qù le ér wǒ de hái zi men hái zài dì
天到来，我们早就死去了，而我的孩子们还在地
dǐ xia kuài huo de wán shuǎ ne yòu nǎ lǐ huì gēn lìn sè de mǎ yǐ men
底下快活地玩耍呢。又哪里会跟吝啬的蚂蚁们
tǎo liáng shi
讨粮食？"

guǐ zhuǎ er yǒu xiē bú xìn shén me nǐ de hái zi
鬼爪儿有些不信:“什么? 你的孩子
shēng huó zài dì dǐ xia tā men kào shén me guò rì zi
生活在地底下? 它们靠什么过日子?
nán dào xiàng qiū yǐn yí yàng kěn ní tǔ me zài dì dǐ
难道像蚯蚓一样啃泥土么?”“在地底
xia shí wǒ men jiù zhǐ néng yī kào jí qǔ shù gēn de yíng
下时,我们就只能依靠汲取树根的营
yǎng guò huó
养过活。”

guǐ zhuǎ er yuè tīng yuè hú tu nǐ men gàn má yào pá
鬼爪儿越听越糊涂："你们干吗要爬
dào dì dǐ xia qù yì zhí dāi zài dì shang bù xíng ma
到地底下去，一直待在地上不行吗？"
hēi lǎ ba yòu kàn le kàn tài yáng shuō dào qī yuè fèn de shí
黑喇叭又看了看太阳，说道："七月份的时
hou mǔ chán jiù huì zài zhī tiáo shang zuān xiē dòng bǎ luǎn chǎn
候，母蝉就会在枝条上钻些洞，把卵产
zài lǐ miàn yì chǎn jiù shì sān sì bǎi méi
在里面，一产就是三四百枚……"

wèi wèi děng yí xià guǐ zhuǎ er dǎ duàn le hēi lǎ ba
“喂喂，等一下！”鬼爪儿打断了黑喇叭，
mǔ chán chǎn nà me duō luǎn zuò shén me hēi lǎ ba piǎo le guǐ zhuǎ
“母蝉产那么多卵做什么？”黑喇叭瞟了鬼爪
er yì yǎn shuō dào wǒ men yǒu hěn duō tiān dí bǐ rú jì shēng fēng
儿一眼，说道：“我们有很多天敌，比如寄生蜂，
mǔ chán zài chǎn luǎn shí tā zǒng shì hé wǒ men xíng yǐng bù lí děng mǔ
母蝉在产卵时，它总是和我们形影不离。等母
chán chǎn wán luǎn lí kāi le tā jiù huì pǎo guò qù yě bǎ luǎn chǎn zài
蝉产完卵离开了，它就会跑过去，也把卵产在
nà ge xiǎo shù dòng li
那个小树洞里。”

jì shēng fēng de luǎn gèng zǎo fū huà rán hòu tā de hái zi
“寄生蜂的卵更早孵化，然后它的孩子

jiù huì bǎ wǒ men de hái zi dàng diǎn xīn chī diào suǒ yǐ suī rán yǒu
就会把我们的孩子当点心吃掉。所以，虽然有

sān sì bǎi méi luǎn dàn néng zhǎng dà chéng rén de què méi yǒu jǐ gè
三四百枚卵，但能长大成人的却没有几个。”

hēi lǎ ba jì xù shuō nà xiē xìng cún de hái
黑喇叭继续说："那些幸存的孩

zi dào le shí yuè jiān cái néng chū shì tā men huì
子到了十月间才能出世，它们会

cóng zhī tóu luò dào dì shang rán hòu jǐn kuài wǎng dì
从枝头落到地上，然后尽快往地

xià zuān zuān de yuè shēn yuè hǎo yào bù rán tā men
下钻，钻得越深越好，要不然它们

zěn me ái guò yán hán de dōng tiān ne
怎么挨过严寒的冬天呢？"

guǐ zhuǎ er tū rán hēi hēi xiào dào biān jì
鬼爪儿突然嘿嘿笑道:“编,继
xù biān ba nǐ zhè ge piàn zi nǐ gāng cái shuō
续编吧!你这个骗子!你刚才说
guò nǐ men de hái zi zài dì dǐ xia zhī kào shǔn xī
过,你们的孩子在地底下只靠吮吸
shù gēn de zhī yè guò huó bú huì chī ní tǔ nà
树根的汁液过活,不会吃泥土,那
tā men bā xià lái de tǔ lì zěn me bàn pá zhe
它们扒下来的土粒怎么办?爬着
pá zhe zì jǐ bú shì bèi mái de dòng yě bù néng
爬着,自己不是被埋得动也不能
dòng le ma
动了吗?”

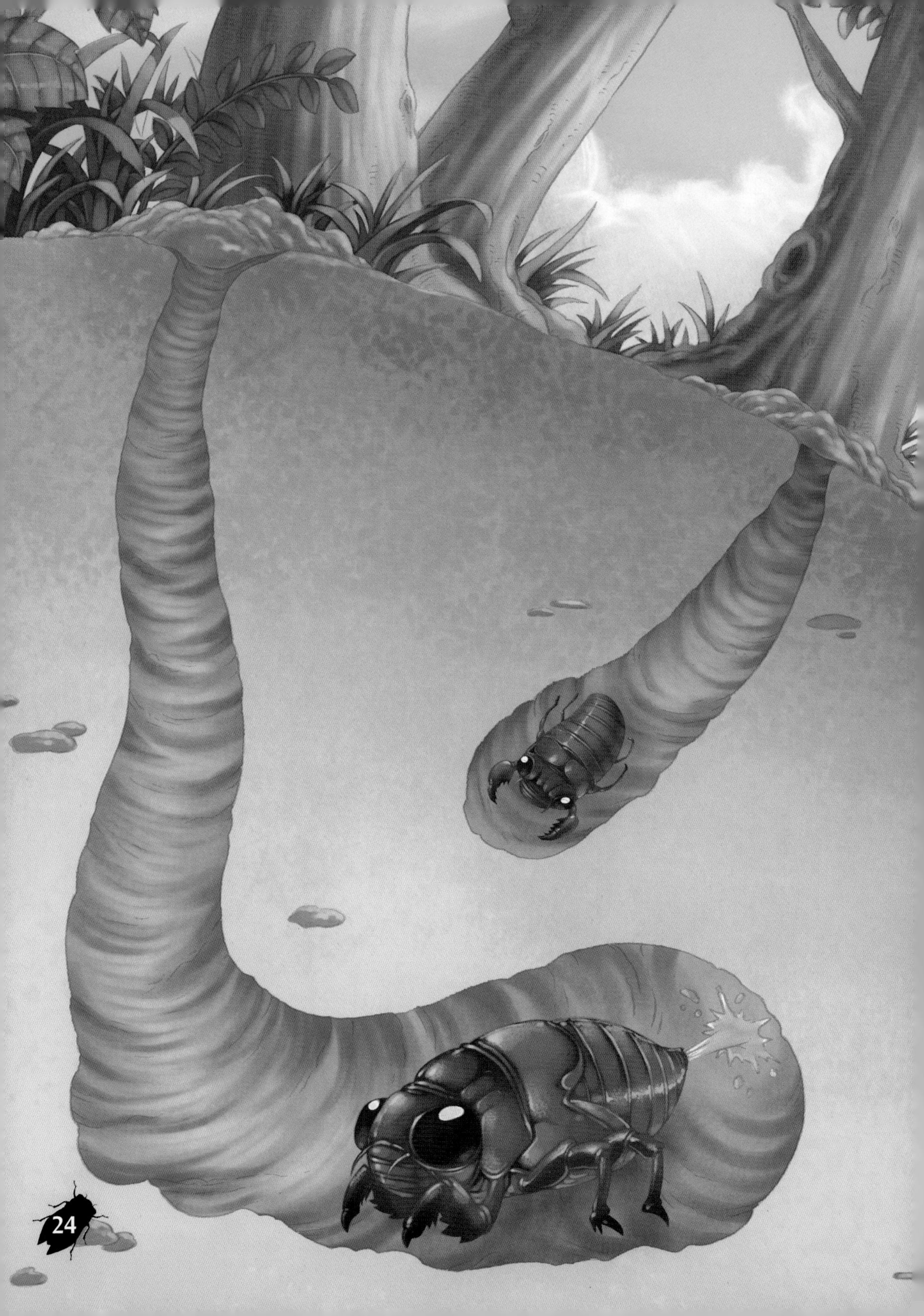

hēi lǎ ba dīng zhe guǐ zhuǎ er yǒu xiē jī cì de shuō wǒ
黑喇叭盯着鬼爪儿有些讥刺地说："我
men bǎ jí qǔ de shù yè cún zài shēn tǐ lǐ miàn nǐ jiù bǎ tā dāng
们把汲取的树液存在身体里面，你就把它当
chéng wǒ men de niào ba wǒ men dǎ dòng de shí hou gé yí huì er
成我们的尿吧。我们打洞的时候，隔一会儿
huì sā diǎn niào bǎ yìng tǔ lì jiǎo chéng ní jiāng rán hòu yòng shēn
会撒点尿，把硬土粒搅成泥浆，然后用身
zi jiē jiē shí shí yā zài dì dào shang dì dòng bú jiù zhè yàng wā chū
子结结实实压在地道上，地洞不就这样挖出
lái le me
来了么？"

pēi pēi pēi　guǐ zhuǎ er tīng dào zhè er　bù jīn bào nù　jiān

“呸呸呸，”鬼爪儿听到这儿，不禁暴怒，尖

shēng jiào dào　guò fèn　nǐ tài guò fèn le　jū rán wǎng wǒ tóu shang

声叫道，“过分，你太过分了，居然往我头上

sā niào　hēi lǎ ba kàn zhe guǐ zhuǎ er shàng cuān xià tiào de yàng zi

撒尿！”黑喇叭看着鬼爪儿上蹿下跳的样子，

yǎn zhōng shǎn guò yì sī qī liáng　yōu yōu de shuō　wǒ men de yì shēng

眼中闪过一丝凄凉，悠悠地说：“我们的一生，

gēn qiū yǐn méi shén me liǎng yàng

跟蚯蚓没什么两样。”

hēi lǎ ba hěn jǔ sàng de shuō qiū yǐn hái néng ǒu ěr pá dào dì
黑喇叭很沮丧地说：“蚯蚓还能偶尔爬到地

miàn shang lái wán shuǎ dàn wǒ men zài shēn zi zú gòu qiáng zhuàng zhī qián
面上来玩耍，但我们在身子足够强壮之前

děi yì zhí dāi zài dì dǐ xia zhěng zhěng sì nián yí gè rén gū líng líng
得一直待在地底下。整整四年，一个人孤零零

de sì zhōu hēi qī qī yì tuán sì nián a
的，四周黑漆漆一团。四年啊！”

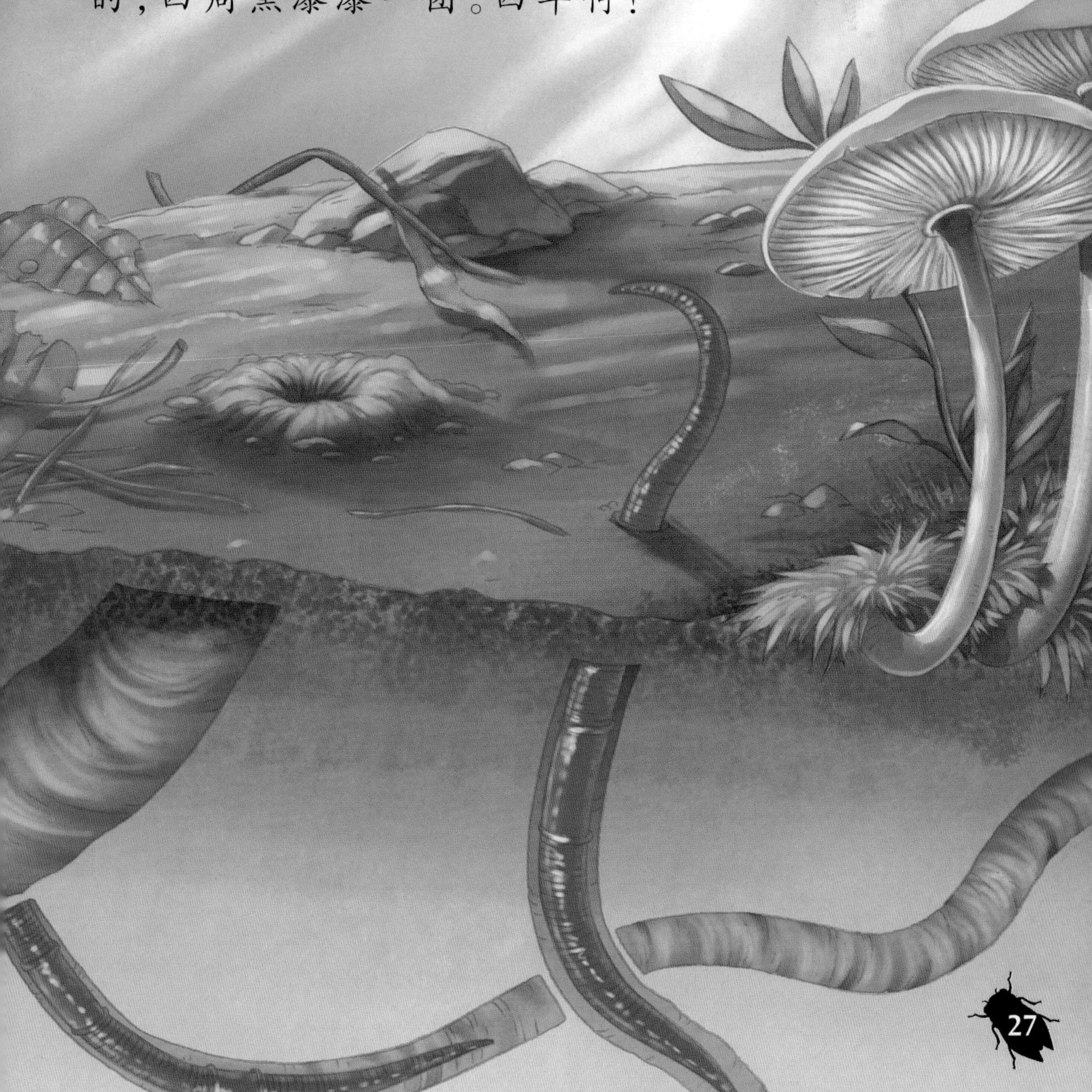

tīng le zhè huà guǐ zhuǎ er hū rán xiǎng qǐ le zì jǐ de táng
听了这话，鬼爪儿忽然想起了自己的堂

dì yǒu yì tiān táng dì bú xìng bèi yí gè táo qì de xiǎo hái zhuō zhù
弟。有一天，堂弟不幸被一个淘气的小孩捉住，

guān jìn le lǒng zi li nà xiǎo hái dài táng dì hěn hǎo měi tiān zhuō le
关进了笼子里。那小孩待堂弟很好，每天捉了

xiǎo chóng zi fàng zài tā shēn biān dàn táng dì hái shi yì tiān bǐ yì tiān
小虫子放在它身边。但堂弟还是一天比一天

xiāo shòu guǐ zhuǎ er qiāo qiāo de pǎo qù kàn tā táng dì yòng wēi ruò de
消瘦。鬼爪儿悄悄地跑去看它，堂弟用微弱的

shēng yīn shuō wǒ men niǎo er tiān shēng jiù shì yào zài tiān shàng fēi
声音说：“我们鸟儿，天生就是要在天上飞

de bèi guān zài lǒng zi li hái bù rú zǎo diǎn sǐ diào de hǎo
的，被关在笼子里，还不如早点死掉的好。”

guǐ zhuǎ er chén mò zhe děng zhe hēi lǎ ba jì xù jiǎng tā de gù
鬼爪儿沉默着，等着黑喇叭继续讲它的故

shi wǒ men zài dì xià dāi le sì nián huì pá dào dì miànshang lái
事。“我们在地下待了四年，会爬到地面上来，

chēng pò wài ké shēnzhǎn chū chì bǎng jiù kě yǐ fēi shàng zhī tóu suí
撑破外壳，伸展出翅膀，就可以飞上枝头，随

xīn suǒ yù de gē chàng le
心所欲地歌唱了。”

hēi lǎ ba zài cì liú liàn de kàn kan nà kě ài de tài yáng bì
黑喇叭再次留恋地看看那可爱的太阳，闭

shàng le yǎn jing qīng qīng shuō dào wǒ de gù shi jiǎng wán le wǒ de
上了眼睛，轻轻说道：“我的故事讲完了，我的

shǐ mìng yě zǎo jiù wán chéng le nǐ kě yǐ dòng shǒu le
使命也早就完成了。你可以动手了。”

děng le bàn shǎng hū rán tīng jiàn pū léng léng de shēng yīn xiǎng qǐ
等了半晌，忽然听见扑棱棱的声音响起，
dàn yuè lái yuè xiǎo zuì hòu yí piàn níng jìng hēi lǎ ba huǎn huǎn zhēng kāi
但越来越小，最后一片宁静。黑喇叭缓缓睁开
yǎn jing miàn qián nà zhī má què bù zhī qù le nǎ lǐ zhè ge tài gǎn
眼睛，面前那只麻雀不知去了哪里。“这个太感
rén le shù xià de cǎo cóng zhōng yì zhī hú dié yǒu xiē gěng yè de
人了！”树下的草丛中，一只蝴蝶有些哽咽地
shuō tā jiǎn zhí shì yòng shēng mìng zài gē chàng a
说，“它简直是用生命在歌唱啊！”

昆虫知识卡

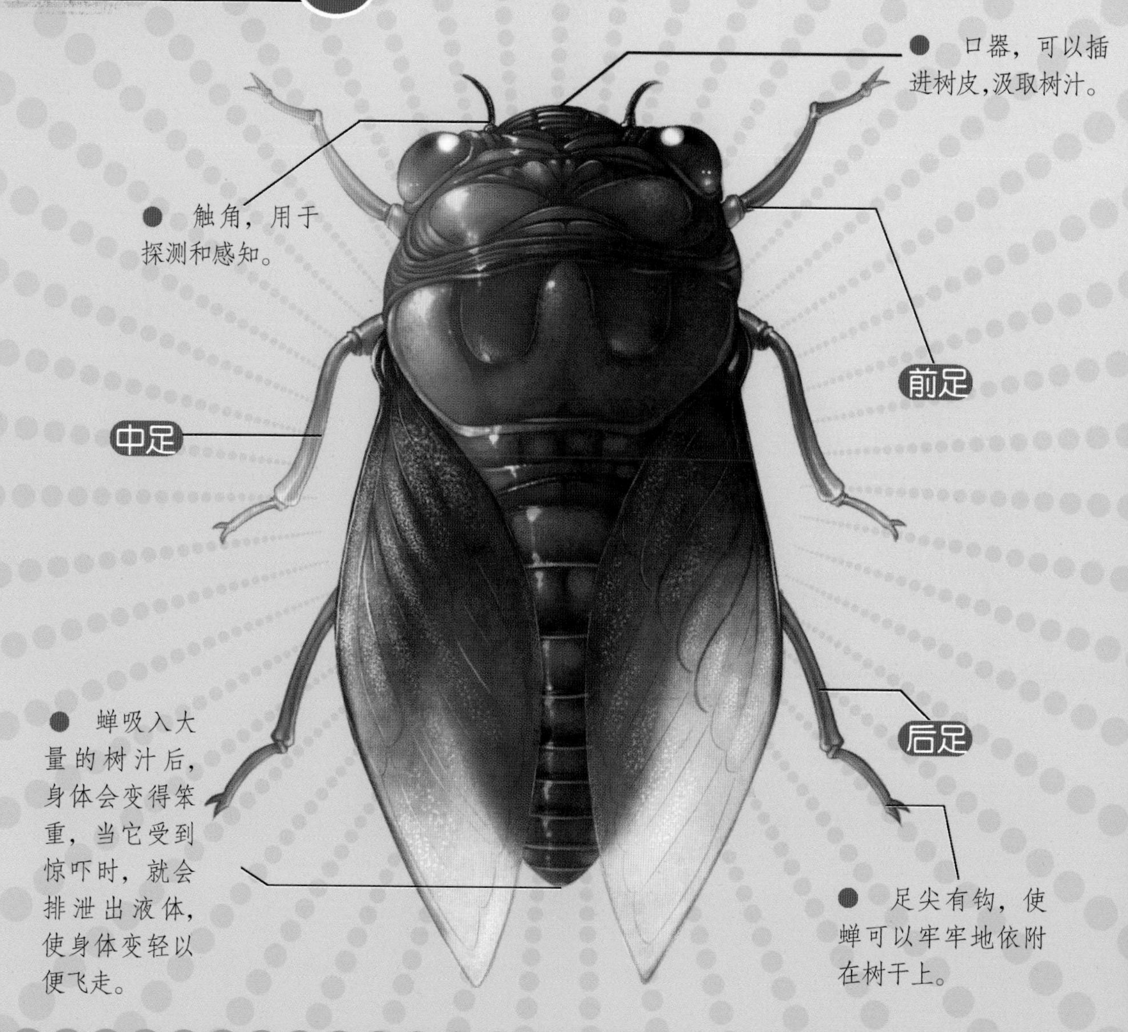

蝉在夏天里叫个不停，而且声音非常嘹亮，所以在昆虫中有“歌唱家”的美名。它的发音原理是由于鼓膜受到振动，而盖板和鼓膜之间是空的，就起到了共鸣的作用。它的鸣肌每秒能伸缩约一万次，所以其鸣声特别响亮，并且能轮流利用不同的声调激昂高歌。会唱歌的只有雄蝉，雌蝉的乐器构造不完全，不能发声。

花金龟

贪吃的公主

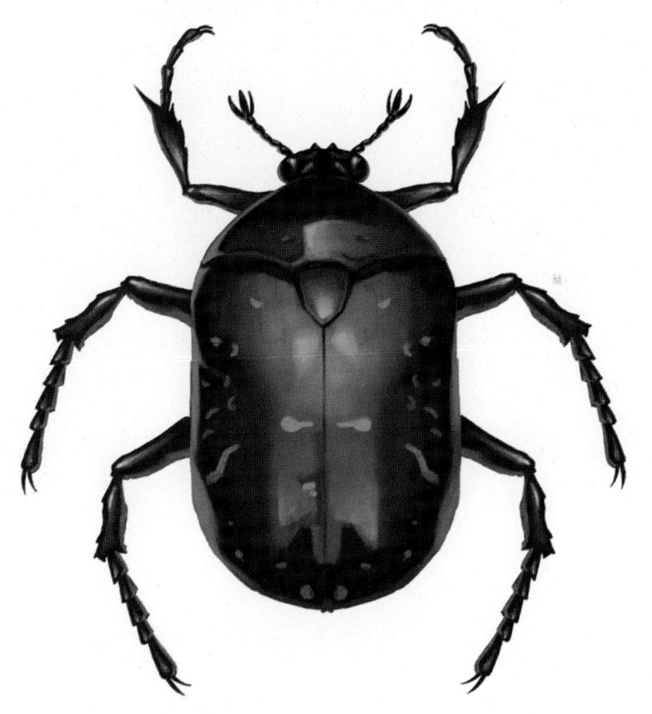

花金龟们吃着，品尝着，白天吃，晚上吃；
在暗处吃，在阳光下吃——一直吃。
甜汁吃得又醉又饱，可这些贪食者仍不撒手。
它们倒在饭桌上，倒在黏稠的水果下睡着了，嘴里还一直在舔着。
那样子就像半睡半醒的小孩，嘴上含着涂了果酱的面包片，心满意足地睡了。

——法布尔

fán xīng diǎn diǎn de dīng xiāng shèng kāi zài zhī tóu yí cù yí cù
繁星点点的丁香盛开在枝头，一簇一簇，
zài fēng zhōng wēi wēi chàn dǒu chéng qún de jīn fèng dié tuō zhe cháng
在风中微微颤抖。成群的金凤蝶，拖着长
cháng de jú sè shì dài zài xiān huā cóng zhōng huān kuài de tiào zhe huá ěr
长的橘色饰带，在鲜花丛中欢快地跳着华尔
zī qín láo de mì fēng yě kāi xīn de fēi dào huā ruǐ shang wēng wēng
兹。勤劳的蜜蜂，也开心地飞到花蕊上，“嗡嗡”
de chàng qǐ gē lái
地唱起歌来……

zài zhè rè nao de jié rì li wéi dú yì zhī hún shēn jīn huáng de
在这热闹的节日里，唯独一只浑身金黄的

huā jīn guī lǎn lǎn de shuì zài huā xīn shang tā hěn piào liang zài jié bái
花金龟，懒懒地睡在花心上。它很漂亮，在洁白

de dīng xiāng huā zhōng jiù xiàng yì kē shǎn liàng de bǎo shí zhè wèi shuì
的丁香花中，就像一颗闪亮的宝石。这位睡

zài huā bàn shang de gōng zhǔ zhǐ guǎn chī zhe huā mì xī zhe huā xiāng
在花瓣上的公主，只管吃着花蜜，吸着花香，

quán bù guǎn shēn biān yǒu duō rè nao
全不管身边有多热闹。

shí jiān jiù zài tā chī hé shuì de guò chéng zhōng qiāo qiāo liú
时间就在它吃和睡的过程中悄悄流

shì zhuǎn yǎn jiù dào le bā yuè huā hua huā hua hún shēn
逝，转眼就到了八月。“花花！花花！”浑身

jié bái de hú dié fēi fei duì zhe zhèng zài shú shuì de huā jīn guī
洁白的蝴蝶飞飞，对着正在熟睡的花金龟

dà shēng de jiào zhe
大声地叫着。

huā hua nuó le nuó shēn zi shuō gàn má a
花花挪了挪身子说："干吗啊？"

yòu zài shuì jiào fēi fei dèng dà shuāng yǎn shuō nǐ
"又在睡觉！"飞飞瞪大双眼说，"你

cóng wǔ yuè jiù zhè me yì zhí shuì hái méi shuì gòu a huā hua
从五月就这么一直睡，还没睡够啊？"花花

piē le yì yǎn zhèng zài dié dié bù xiū de fēi fei pū teng zhe chì
瞥了一眼正在喋喋不休的飞飞，扑腾着翅

bǎng fēi dào le bié chù
膀飞到了别处。

huā hua　huā hua　mì fēng fēn fen　wēng wēng wēng　de hǎn
“花花！花花！”蜜蜂芬芬“嗡嗡嗡”地喊

zhe　huā hua de liù zhī jiǎo　cǐ shí jǐn jǐn de bào zhe yì kē lǐ zi
着。花花的六只脚，此时紧紧地抱着一颗李子，

zuǐ ba hái bù tíng de kěn shí zhe
嘴巴还不停地啃食着。

huā hua hěn bù qíngyuàn de tái tóu wèn yòu zěn me la
花花很不情愿地抬头问：“又怎么啦？”

yòu zài chī fēn fen zhēng dà yǎn jing shuō nǐ cóng wǔ
“又在吃！”芬芬睁大眼睛说，“你从五

yuè jiù zhè me yì zhí chī hái méi chī gòu a zhī bù zhī dào chī
月就这么一直吃，还没吃够啊？知不知道吃

duō le huì zhǎng pàng de huā hua chǒu le chǒu zhèng zài shuō
多了会长胖的……”花花瞅了瞅正在说

lǐ de fēn fen piě le piě zuǐ yòu huàn le gè dì fang
理的芬芬，撇了撇嘴，又换了个地方。

huā hua huā hua qīng tíng fāng fang fēi guò lái jí cù de
“花花！花花！”蜻蜓芳芳飞过来，急促地
jiào zhe huā hua dùn shí jué de yǒu yì gǔ huǒ cóng xīn dǐ bèng chū méi
叫着。花花顿时觉得有一股火从心底迸出，没
hǎo qì de shuō dào nǐ men hǎo fán a wǒ qiú qiu nǐ men bú yào
好气地说道：“你们好烦啊！我求求你们不要
zài lái fán wǒ hǎo bù hǎo fāng fang gǔ zhe yí duì dà yǎn jing wěi
再来烦我，好不好？”芳芳鼓着一对大眼睛，委
qu de lí kāi le qí shí tā shì lái zhǎo huā hua wán de huā hua yǐ jīng
屈地离开了。其实它是来找花花玩的，花花已经
hǎo jiǔ méi hé dà jiā yì qǐ wán le
好久没和大家一起玩了。

rú guǒ zhè ge shì jiè shang zhǐ yǒu wǒ yí gè gāi yǒu duō hǎo jiù
“如果这个世界上只有我一个该有多好，就

bú huì yǒu shuí lái fán wǒ le wàng zhe fāng fang yuǎn qù de bèi yǐng
不会有谁来烦我了！”望着芳芳远去的背影，

huā hua huànxiǎng zhe
花花幻想着。

shì jiè zhī dà wú qí bù yǒu huā hua de měi mèng jìng rán chéng
世界之大，无奇不有，花花的美梦竟然成
zhēn le zài dīng xiāng jí jiāng diāo xiè de yuán zi li tài yáng yǐ jīng
真了。在丁香即将凋谢的园子里，太阳已经
gāo gāo shēng qǐ huā hua yě xiàng wǎng cháng yí yàng lái dào zhè lǐ xún
高高升起，花花也像往常一样来到这里，寻
zhǎo shí wù
找食物。

huā hua chī ya chī ya tū rán tíng le xià lái zhuàn zhe nǎo dai huán
花花吃呀吃呀，突然停了下来，转着脑袋环

shì zhe sì zhōu zuǐ li xiǎo shēng dí gu dào yí zhēn shi qí guài nà
视着四周，嘴里小声嘀咕道：“咦，真是奇怪，那

xiē fán rén de jiā huo jīn tiān zěn me dōu méi lái a hēi hēi bù lái
些烦人的家伙今天怎么都没来啊？嘿嘿，不来

zhèng hǎo zhōng yú kě yǐ qīng jìng qīng jìng le
正好，终于可以清静清静了！”

huā hua xīng fèn jí le jué de zì jǐ zhēn shi fēi jìn
花花兴奋极了，觉得自己真是飞进
le tiān táng tā yí huì er fēi dào lǐ zi shang kěn jǐ kǒu
了天堂。它一会儿飞到李子上啃几口，
yí huì er yòu zài pú tao shang yǎo jǐ xià rán hòu zài fēi dào
一会儿又在葡萄上咬几下，然后再飞到
shù zhī shang de yīn liáng chù shuì gè wǔ jiào
树枝上的阴凉处睡个午觉……

ā zhēn shū fu huā hua tǎng zài hóng sè de méi gui huā shang
“啊，真舒服！”花花躺在红色的玫瑰花上，
liǎng zhī qián zú mō zhe dù zi mǎn zú de shuō rú guǒ zhè shì yí gè
两只前足摸着肚子，满足地说，“如果这是一个
mèng wǒ xī wàng yǒng yuǎn bú yào xǐng lái yáng guāng tòu guò shù yè
梦，我希望永远不要醒来！”阳光透过树叶
zhào zài dì shang xiàng shì suì le yí dì de jīn zi chī lèi le de huā hua
照在地上，像是碎了一地的金子，吃累了的花花
chén zuì zài zhè qiè yì de wǔ hòu hěn kuài jiù shuì zháo le
沉醉在这惬意的午后，很快就睡着了。

tū rán jiān huā hua de yì zhī qián zú chōu chù le yí xià jiē
突然间，花花的一只前足抽搐了一下，接
zhe yí gè fān shēn pā zài huā bàn shang wǔ zhe dù zi dà jiào āi
着一个翻身趴在花瓣上，捂着肚子大叫：“哎
yō téng sǐ wǒ la huā hua yì biān shēn yín yì biān màn màn
哟——疼死我啦！”花花一边呻吟，一边慢慢
xiàng xià pá yǒu shuí lái bāng bang wǒ ma sì zhōu jìng qiāo qiāo
向下爬，“有谁来帮帮我吗？”四周静悄悄
de bàn gè chóng yǐng dōu méi yǒu
的，半个虫影都没有。

zhēn shi huò bù dān xíng zhè ge shí hou piān piān yòu xià qǐ yǔ lái
真是祸不单行，这个时候偏偏又下起雨来。
huā hua jiǎo xià yì huá zhí jiē shuāi dào le dì shang tā hài pà jí le
花花脚下一滑，直接摔到了地上。它害怕极了，
pā zài dà shù dǐ xia yì biān kū yì biān jiào zhe péng you men de míng
趴在大树底下，一边哭一边叫着朋友们的名
zi fēi fei fēn fen fāng fang nǐ men dōu zài nǎ er a wǒ hǎo
字："飞飞、芬芬、芳芳，你们都在哪儿啊？我好
xiǎng nǐ men a wū wū wū
想你们啊，呜呜呜……"

tā kū de zhēnshāng xīn a wǒ men bié wán le qù zhǎo
“它哭得真伤心啊！我们别玩了，去找

tā ba fāng fang kàn zhe shù dǐ xia de huā hua wú bǐ tóngqíng
它吧！”芳芳看着树底下的花花，无比同情

de shuō fēi fei hé fēn fen yì kǒu tóngshēng de shuō ǹg wǒ
地说。飞飞和芬芬异口同声地说：“嗯，我

men qù zhǎo tā
们去找它！”

huā hua sān gè hǎo péng yǒu qiāo qiāo de lái dào huā hua shēn

“花花……”三个好朋友悄悄地来到花花身

biān à nǐ men kàn zhe péng you men yí gè gè píng kōng chū

边。“啊，你们？”看着朋友们一个个凭空出

xiàn huā hua yòu jīng yòu xǐ kū zhe shuō nǐ men dōu pǎo nǎ er qù

现，花花又惊又喜，哭着说，“你们都跑哪儿去

la wǒ hǎo gū dú a bìng le yě méi yǒu shuí lái kàn wǒ

啦？我好孤独啊，病了也没有谁来看我……”

fēi fei dī zhe tóu shuō hái bú shì yīn wèi nǐ zhǐ zhī dào chī hé
飞飞低着头说："还不是因为你只知道吃和

shuì wán quán bǎ wǒ men gěi wàng le wǒ cái xiǎng le zhè me gè bàn fǎ
睡，完全把我们给忘了，我才想了这么个办法

lái zhěng nǐ duì bu qǐ huā hua gěng yè zhe shuō hǎo la
来整你。""对不起……"花花哽咽着说。"好啦

hǎo la běn lái wǒ yě méi xiǎng shēng nǐ de qì fēi fei shuō zhe jiù
好啦，本来我也没想生你的气！"飞飞说着就

lù chū le tián tián de xiào róng
露出了甜甜的笑容。

kuài kàn　cǎi hóng　fāng fang tū rán jiào dào　wā　shì
“快看，彩虹！”芳芳突然叫道。“哇——是
qī cǎi de ne　jǐ gè xiǎo jiā huo yì biān jīng jiào zhe　yì biān xiàng
七彩的呢！”几个小家伙一边惊叫着，一边向
cǎi hóng fēi qù　kàn zhe péng you men xìng gāo cǎi liè de yàng zi　huā hua
彩虹飞去。看着朋友们兴高采烈的样子，花花
yě jí qiè de gēn le shàng lái
也急切地跟了上来。

āi tān chī guǐ nǐ bú qù chī nǐ de lǐ zi
“哎，贪吃鬼，你不去吃你的李子
hé lí gēn zhe wǒ men gàn má fēi fei huí tóu xiào
和梨，跟着我们干吗？”飞飞回头，笑
zhe wèn gēn shàng lái de huā hua
着问跟上来的花花。

昆虫知识卡

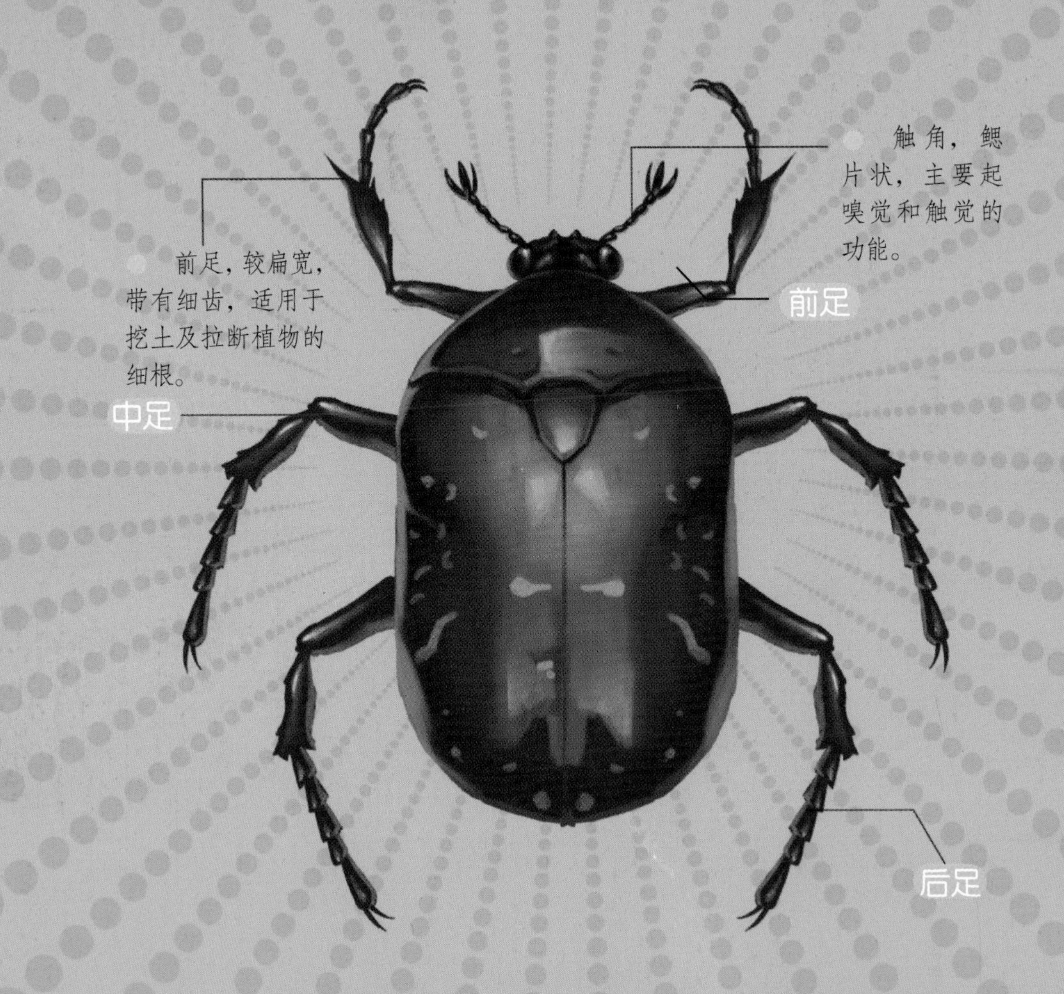

花金龟，一种色彩艳丽的甲虫。它身材肥胖，上下一般粗，尽管如此，仍然热衷于吃喝，一点成家的意思都没有。在花朵上、在果实上，都可以看见它的身影，不是在吃就是在睡，哪怕持续几个月，它也不会有丝毫的厌倦。